Le gorille

Chantecler

◀ Les gorilles joignent la voix aux mimiques du visage pour exprimer leurs sentiments et leurs émotions.

Le gorille, véritable colosse

Le gorille est un singe costaud, aux yeux enfoncés, au front proéminent, aux larges épaules et au thorax très développé.
Sa stature est très impressionnante.

▲ Un gorille inquiet

▲ Un gorille fâché

▲ Un gorille content

▲ Un gorille à bout de patience.

Les bras plus longs que les jambes

Le gorille n'a pas de queue.
Ses bras sont également plus longs que ses jambes. Il se déplace sur ses jambes, mais il prend généralement appui sur ses bras. Il adore gonfler sa poitrine, pointer le menton vers l'avant et promener son regard sur les environs. Les gorilles ont l'air méchant, mais ce sont des animaux très sympathiques.

▼ Couché sur le sol, le menton posé sur la main, il semble plongé dans ses pensées.

▲ Les bras du gorille sont plus longs que les jambes.

▲ Le torse bombé et le menton pointé vers l'avant, il inspecte les parages.

◄ Lorsqu'il se déplace, il prend appui sur le dos des mains dont les articulations sont recouvertes d'une épaisse callosité.

▼ Il se déplace généralement à quatre pattes. Il se tient rarement en position debout.

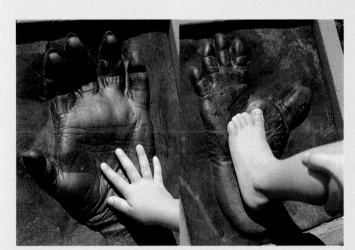

▲ Compare tes mains et tes pieds avec ceux du gorille. Ils présentent le même nombre de doigts et d'orteils que l'homme.

▲ Les gorilles adorent chahuter en mangeant. Le repas a l'air très appétissant.

▲ Ils raffolent des fruits et des feuilles.　　　▲ Ils sont munis d'une solide dentition.

Les gorilles
adorent les légumes

Crac, crac, crac. Les gorilles présentent une solide dentition. Ils font des tas de bruits en mangeant. Ils adorent les aliments croquants tels que les feuilles, l'herbe, les tiges et les fruits. Ils doivent manger beaucoup avant d'être rassasiés. Les gorilles ne mangent pas de viande.

▶ Ils se servent de leurs mains pour boire.

▲ Les gorilles vivent dans la forêt. La verdure leur offre gîte et nourriture.

Le repos et la détente

Lorsque le gorille est rassasié, il part à la recherche d'un endroit calme où il pourra se reposer.

Il s'allonge et fait la sieste.

Il s'épouille ou se fait épouiller par ses congénères. Il entame une bavette, surveille les bébés gorilles ou participe à leurs jeux.

Il est heureux.

▼ Le gorille se croise les jambes et s'allonge au soleil avant de s'endormir paisiblement.

Lors de la sieste, certains animaux font un petit somme, d'autres jouent avec leur bébé ou les prennent sur le ventre pour dormir.

Une famille très heureuse

Les gorilles vivent au sein de grandes familles:
papa gorille, plusieurs mamans gorilles et une
ribambelle de bébés gorilles.
A l'âge adulte, les gorilles quittent
leur famille pour mener
leur propre existence.

pa gorille est le chef de la famille.
n rôle est de protéger les siens. Il
appelle "dos argenté".
 jeune mâle adulte s'appelle "dos
ir". Il aide "dos argenté".
pa gorille a plusieurs épouses.
elle-ci vient d'avoir un petit.
evenu adulte, le gorille femelle
itte sa famille pour épouser un
tre "dos argenté".
ette femelle n'a pas encore eu de
etits.
elle-ci a déjà fondé une famille.
ette femelle attend un heureux
énement. Son ventre est très
os.

◄ Les mâles adultes fondent leur propre famille.

▲ Maman gorille allaite son bébé.

▼ La maman aide le petit à se débarbouiller.

▼ Maman adore son bébé.

Un petit gorille apprend très vite à
▼ s'accrocher fermement à sa maman.

▼ Le petit se déplace sur le dos de sa maman.

▲ Bébé s'endort paisiblement contre sa maman.

Maman gorille adore son bébé

Maman gorille allaite son bébé.
Ensuite, elle le berce
jusqu'à ce qu'il s'endorme paisiblement.
Elle le débarbouille délicatement.
Elle l'aime vraiment beaucoup.

Maman gorille joue avec son petit

▼ Viens ici que je te nettoie les ongles.

Maman gorille souhaite que son bébé se développe bien, qu'il soit parfaitement heureux et en excellente santé. Il lui arrive souvent de lui faire faire des exercices. Elle le saisit par les bras et les jambes et le fait tourner dans tous les sens. De haut en bas, puis d'un côté à l'autre. On dirait un véritable cours de gymnastique.

◀ ▲ Maman et bébé font de la gymnastique.

14

▼ Ma petite sœur est vraiment mignonne!

▲ Hé toi, cesse d'ennuyer ta petite sœur!

◀ Voilà un jouet intéressant:
le pied de maman.

▲ Maman gorille apprend à son bébé à rechercher de quoi manger.

Les leçons de maman

Maman souhaite que son bébé devienne
grand et fort, vif et intelligent.
Elle lui apprend à trouver de la nourriture
et à se défendre.

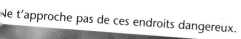

Ne t'approche pas de ces endroits dangereux.

▼ Voici comment il faut rechercher de la nourriture.

Les bébés gorilles ne sont pas toujours très obéissants

Le bébé gorille grandit vite.
Il déborde d'énergie. Il est robuste
et en bonne santé. Il grimpe aux arbres,
arrache des touffes d'herbe et grignote
des branches. Il lui arrive également
d'arracher des pousses ou de secouer
les arbres. Il adore jouer.

▲ Le gorille commence à explorer le monde.

▲ Je te permets d'arracher cette branche.

▲ Une drôle de manière pour transporter une pierre…

▲ Il examine les feuilles, il arrache l'herbe et il s'amuse.

▲ Rien n'est meilleur qu'une branche bien croquante.

▲ Je profite de la distraction de maman pour ennuyer ma petite sœur.

▲ Je sais déjà grimper aux arbres.

▲ Quel ravissant bébé!

Papa gorille adore ses enfants

Papa gorille adore son bébé.

Il s'en occupe lorsque maman est absente.

Il joue avec son bébé.

Ensemble, ils se bagarrent ou ils font
des sauts périlleux.

Ils se racontent des histoires et s'amusent
à faire des grimaces.

Papa peut jouer toute une journée sans se fâcher.

Papa est vraiment superchouette!

▼ Lorsqu'ils jouent ensemble, papa et bébé s'amusent comme des fous!

▼ Si tu m'obéis, tu ne tarderas pas à devenir un "dos argenté" aussi fort et aussi respecté que ton papa.

Bao Bao – un gorille du zoo

Bao Bao a huit ans.
Il a passé presque toute sa vie au zoo.
Ses gardiens l'aiment beaucoup.
Ils veillent à ce qu'il soit
confortablement installé
et à ce qu'il mange bien.
Il leur arrive également de jouer
ou de prendre un bain de soleil avec lui.
Bao Bao a tout pour devenir
un gorille costaud et heureux.

▼ Bao Bao se développe parfaite
parce qu'il reçoit une excellent
nourriture.

▲ "Rapproche-toi que je t'examine", lui dit le gardien.

▲ Une alimentation saine

▲ Bao Bao considère son gardien comme un membre de sa famille. Ils s'amusent et ils jouent ensemble.